Animales del mundo

Escrito por Manolo Rodriguez
Traducido por Queta Fernandez

SCHOLASTIC INC.
New York Toronto London Auckland Sydney
Mexico City New Delhi Hong Kong Buenos Aires

una llama

un puma

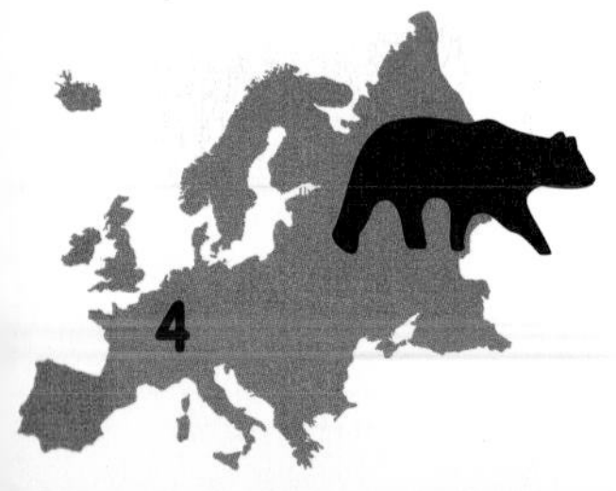

un oso

una cebra

un oso panda

un canguro

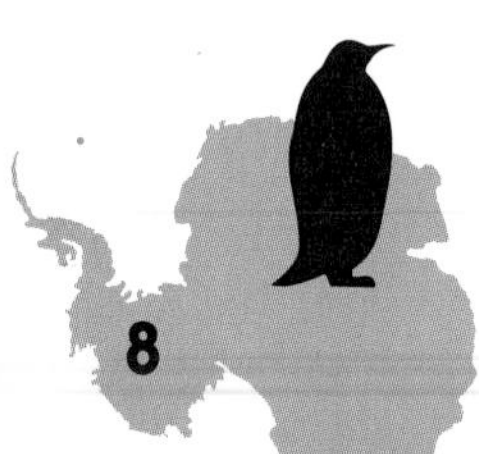

un pingüino

el mundo

Photos Credits:

Cover: tl: © Kevin Schafer@kevinschafer.com, tr: © Rita Summers/Ron Kimball, bl: © Kevin Schafer@kevinschafer.com, bc: © Keren Su/Stone/Getty Images, br: © Joe McDonald/Animals Animals/Earth Scenes; Title Page: Volvox, Inc./Index Stock Imagery; p. 2: © Kevin Schafer@kevinschafer.com; p. 3: © Kevin Schafer@kevinschafer.com; p. 4: © Joe McDonald/Animals Animals/Earth Scenes; p. 5: © Rita Summers/Ron Kimball; p. 6: © Keren Su/Stone/Getty Images; p. 7: © Fritz Prezel/Animals Animals/Earth Scenes; p. 8: © Volvox, Inc./Index Stock Imagery; Back Cover: © Keren Su/Stone/Getty Images.

Originally published in English as *A World of Animals.*

Printed in the U.S.A.

ISBN 0-439-68469-2

3 4 5 6 7 8 9 10 23 13 12 11 10 09 08